Bienvenidos al mundo del corte de cabello

Este libro tiene dos objetivos: por un lado, brindar soluciones a quienes desean aprender a cortar el cabello a amigos o familiares; por otro, ofrecer toda la información necesaria a quienes desean iniciar un microemprendimiento económico, aprendiendo a cortar el cabello tanto a hombres como a mujeres.

En estas páginas hallarán cuatro cortes básicos, descriptos con minuciosidad a través de sencillos textos y fotografías a todo color de cada paso en la ejecución de la tarea.

Para ellas, dos opciones: corte salvaje (sauvage) realizado sobre cabello largo, semiondulado; y corte desmechado, con puntas hacia fuera, realizado sobre cabello grueso, semiondulado.

Además, los consejos más útiles sobre el acondicionamiento previo a los cortes y el uso correcto de las herramientas de trabajo.

En vuestras manos, entonces, está lo que creemos es un material didáctico de gran importancia... para que cortar el cabello, a partir de ahora, sea más sencillo que nunca.

Sumario

Cortes de cabello para dama

Modelo: Estefanía

- **Tipo de cabello:** largo, semiondulado.

- **Tipo de corte:** salvaje (sauvage).

1 Comenzamos humedeciendo el cabello con rociador. Peinamos para esparcir la humedad, abarcando la totalidad del cabello. Si estuviese muy enredado, lo mejor es mojarlo completamente y aplicarle crema de enjuague. De esta manera, el peine se deslizará con mayor facilidad.

2

Tomamos una porción de cabello partiendo desde el lateral derecho y cortamos dos centímetros (o los que sean necesarios de acuerdo con el largo que deseemos obtener). Esa medida va a ser el parámetro del rebajado de toda la cabeza.

3

Del lateral avanzamos hacia la cúspide de la cabeza (la parte de arriba) y luego hacia atrás, cortando siempre dos centímetros. Para hacerlo, nos ayudamos con una mecha ya cortada que nos servirá de guía. Unimos ambas mechas, peinamos estirando el cabello hacia arriba y luego cortamos el excedente que surge de la comparación con la mecha guía. Emparejamos el corte.

Al cortar una nueva porción de cabello debemos tomar, a la vez, una mecha ya cortada, próxima a la nueva sección. La mecha ya cortada es la que se utiliza como mecha guía.
Como puede observarse en la fotografía, para lograr un corte rebajado (y no desmechado), la tijera se ubica en forma paralela a los dedos, lo que dará un corte recto.

4

Cortamos, ahora, los laterales, ayudándonos con una mecha guía. Cortamos primero un lateral y luego el otro, siempre realizando con la tijera un corte recto. De esta manera, vamos cortando dos centímetros en las diferentes capas que tomemos para que el cabello quede rebajado, es decir, con diferentes largos en toda la cabeza.

5

Una vez que terminamos los laterales, cortamos desde la cúspide hacia atrás, hacia la nuca. Tomamos porciones de cabello en forma vertical, es decir, que se extienden en la cabeza desde arriba hacia abajo, y nos ayudamos con mechas guías que provienen de los laterales ya cortados.

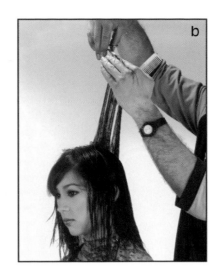

6

Desmechamos un poquito el flequillo con la punta de la tijera, ubicando ésta en forma perpendicular a los dedos, como si se dieran picotazos. El desmechado evita que el flequillo luzca cuadrado.

7

Aquí vemos el corte terminado, con cabello mojado, acomodado con el peine.

Estefanía ya traía rebajado el cabello en la zona del frente, por lo que no se cortó para que no desentonara el largo de dos centímetros con el resto del cabello. Si necesitáramos cortar esa zona, tomamos mechas guías de los laterales junto con porciones de cabello del frente y cortamos como lo hicimos en los pasos anteriores.

Con la ayuda del secador, modelamos el cabello con la mano para asentar un poco el corte antes del peinado definitivo.

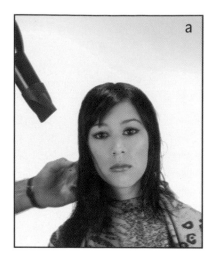

Podemos observar distintos planos del corte con cabello seco. En este caso peinamos con brushing, es decir, con cepillo redondo y secador, para que el cabello luzca entero.

Este corte también puede peinarse con el secador con difusor para que el rebajado se eleve y se armen ondas; de esta manera, podremos observar cómo el rebajado está cortado en capitas. Otra opción es secarlo al natural, sólo modelándolo con los dedos para que las diferentes capas de cabello adquieran movimiento.

Modelo: Mónica

• **Tipo de cabello:** largo, bastante ondulado y grueso.

• **Tipo de corte:** desmechado, con las puntas hacia fuera.

1

Comenzamos humedeciendo el cabello, a medida que lo peinamos, para poder desenredarlo.

El cabello, antes del corte

Sólo se rociará el cabello para realizar el corte estando éste limpio. De no ser así, debemos lavarlo, alisar con crema de enjuague y secarlo un poco con una toalla (para quitar el exceso de agua) antes de proceder al corte.

2 Definimos el largo del cabello que deseamos obtener tomando una mecha correspondiente al centro de la nuca baja. Siempre conviene sostener el cabello restante con un broche para evitar confusiones con relación a las mechas con las que estamos trabajando. Apoyamos la mecha contra la espalda y cortamos las puntas, ubicando la tijera en forma perpendicular al cabello (de manera opuesta al corte anterior, que era recto).

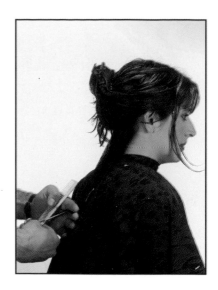

El corte se realiza con la punta de la tijera ubicada en forma perpendicular, para obtener un efecto desmechado.
De esta manera logramos que el cabello adquiera un movimiento natural a través del modelado de las puntas hacia fuera.

El secreto del corte

La naturalidad del movimiento del cabello se logra debido al tipo de corte con la tijera y, además, porque el mismo se lleva a cabo en capas, como explicaremos a continuación.

3 Tomamos un nuevo mechón de la nuca baja, manteniendo el primero que trabajamos apoyado sobre la espalda de Mónica. Para practicar el corte, levantamos unos centímetros el segundo mechón y realizamos el desmechado, siempre con la tijera ubicada en forma perpendicular. El segundo mechón quedará más corto que el primero y así se irán formando las sucesivas capas.

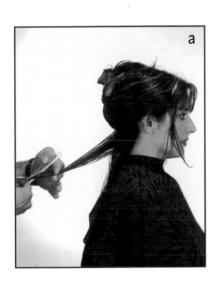

a

b

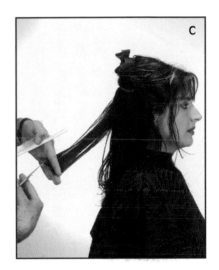

c

4 A partir de la segunda capa, continuamos tomando mechones de cabello en sentido ascendente, es decir, de la nuca baja hasta la nuca alta.
Al tomar cada capa, levantamos el cabello unos centímetros para lograr que las diferentes porciones queden a distintos niveles de largo.

d

Cada capa posterior, más corta, se apoya sobre una anterior, más larga. Las puntas de los diferentes mechones tenderán naturalmente hacia fuera, otorgándole movimiento al cabello.

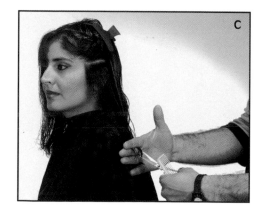

5

Comenzamos, ahora, con los laterales. El primer paso consiste en determinar el largo del lateral. Cortamos con la tijera en forma perpendicular y luego vamos bajando capas de cabello y cortando, hasta llegar a la zona alta de la cabeza.

Para cortar los laterales nos ayudamos con pequeños mechones de cabello ya cortados de la zona de la nuca. Servirán como mecha guía para el corte de cada capa lateral.

Al terminar un lateral comenzamos con el otro.
Repetimos el mismo procedimiento y constatamos que ambos laterales mantengan el mismo largo en sus diferentes capas.

6

Vamos a desmechar un poquito el flequillo para otorgarle mayor movilidad. Cortamos como siempre: con la punta de la tijera y ubicando ésta en forma perpendicular. De esta manera evitamos que el flequillo quede recto y luzca cuadrado.

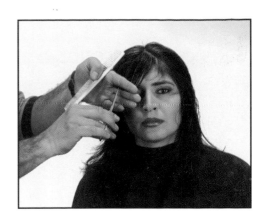

Como Mónica ya traía el flequillo corto, sólo desmecharemos apenas para que el mismo no quede, al secarse, demasiado corto.

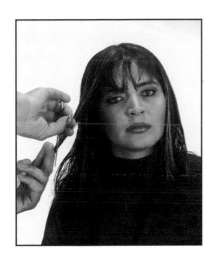

7

Para terminar, practicamos un suave desmechado en los contornos laterales para lograr un mayor rebajado de la zona.

Realizamos el desmechado deslizando, apenas y muy suavemente, el filo de la tijera sobre las mechas laterales, tal como se observa en la fotografía.

8

Aquí vemos el corte terminado, con el cabello mojado.

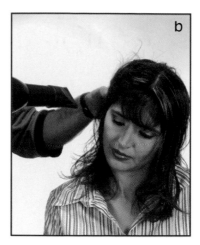

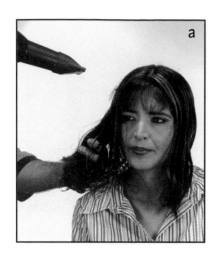

Modelamos el cabello con secador y la mano para ir dándole forma para realizar, luego, el peinado definitivo.

Observamos distintos planos del corte con cabello seco. Peinamos con cepillo redondo para lograr el lacio deseado. Con el mismo cepillo secamos las puntas hacia fuera para aprovechar la movilidad otorgada por el corte.

Brillo irresistible

Para terminar, podemos aplicar cera de brillo, un producto que sirve para "bajar" los pelitos que quedan parados, electrizados.
Se la adquiere como cera de peinado o cera para el pelo.

Cortes de cabello para caballero

Modelo: Daniel

- Tipo de cabello: corto, semiondulado.

- Tipo de corte: desmechado, en todo el cabello.

1

Comenzamos humedeciendo la totalidad del cabello con el vaporizador. Peinamos para ayudar a desenredarlo.

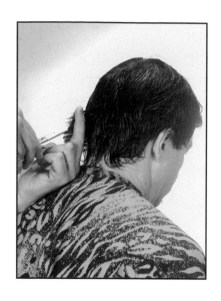

2

Iniciamos el corte por la nuca baja. Tomamos un mechón de cabello y cortamos con la tijera ubicada en forma perpendicular a los dedos para lograr el desmechado. Esta será la mecha guía para el resto del corte.

El manejo de la tijera

Para lograr el desmechado, cortamos con la punta de la tijera, dando picotazos, tal como mostramos para el corte de Mónica en la página 8.

3

Cortamos en sentido ascendente desde la nuca baja hacia la nuca alta, siempre tomando mechones de cabello nuevo junto con una pequeña porción de mecha guía.

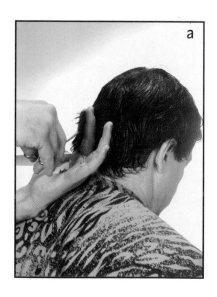

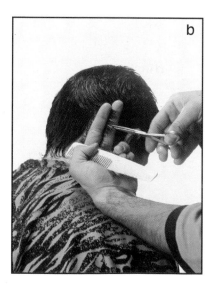

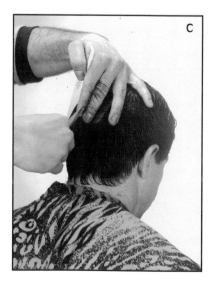

4

Una vez que terminamos con la nuca alta, continuamos cortando el lateral izquierdo. Nos servimos de mechas guías de la nuca alta para tener una referencia en cuanto a la medida que debemos cortar en el lateral.

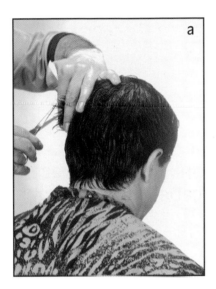

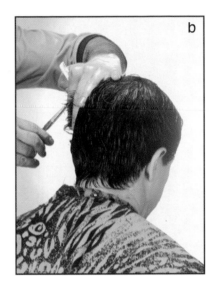

5

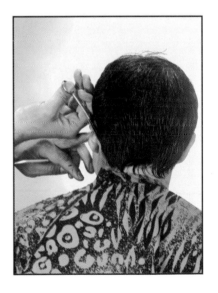

Ahora, definimos el contorno de la cabeza. Partimos desde el lateral izquierdo y, con la tijera ubicada en forma paralela a la cabeza, cortamos por atrás de la oreja en dirección a la nuca.

Recto y prolijo

Al utilizar la tijera de esta manera, el corte a través del contorno de la oreja queda recto y prolijo.

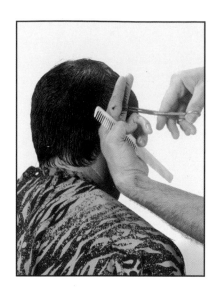

Continuamos cortando detrás
de la oreja, pero ahora
en el lateral derecho.

7 Subimos por el lateral derecho hasta la cúspide,
es decir, hasta la coronilla de la cabeza. Tomamos
franjas verticales de cabello y desmechamos con
la punta de la tijera. Realizamos este corte hasta
llegar a la zona del flequillo.

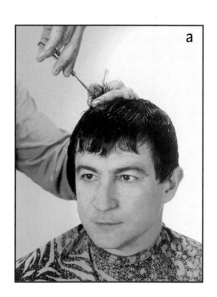

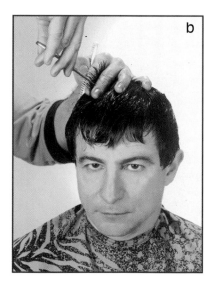

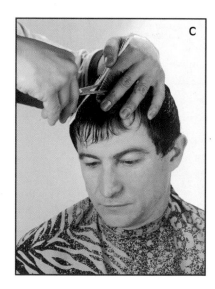

El sentido del corte

El sentido del corte es desde un lateral hacia el opuesto, siempre
tomando franjas verticales de cabello y desmechándolas.

16

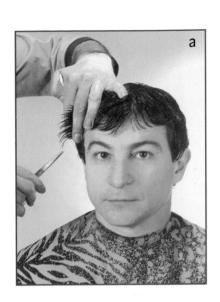

8 Emparejamos los laterales tomando mechas en sentido vertical y desmechándolas. Primero cortamos las mechas de atrás, y luego continuamos hacia delante para ir llegando a la zona de la cúspide.

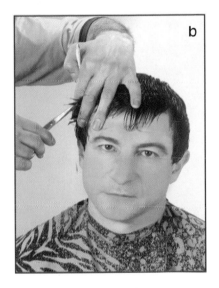

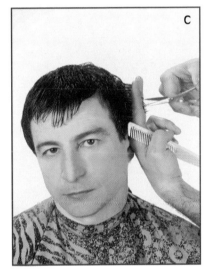

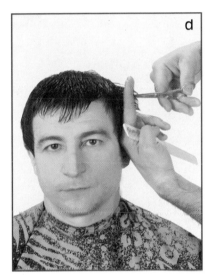

9 Desmechamos un poco más la zona de la cúspide hasta abarcar el flequillo, y realizamos un control de puntas.

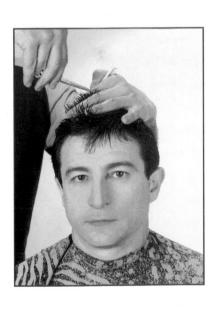

17

10

Ahora vamos a realizar un desmechado más profundo en la totalidad de la cabeza.
Para ello, deslizamos el filo de la tijera sobre las diferentes mechas del cabello pero casi sin tocarlas, es decir, sin tomar el cabello. Es necesario tener en cuenta que este desmechado debe hacerse con el cabello muy húmedo, porque si está seco o casi seco se producen tirones en el deslizamiento del filo de la tijera sobre las mechas.

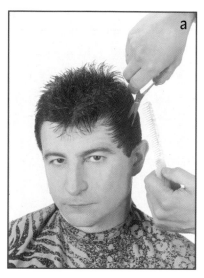
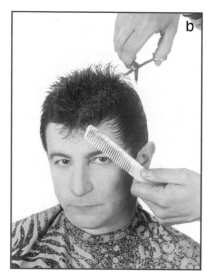
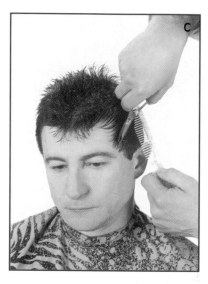

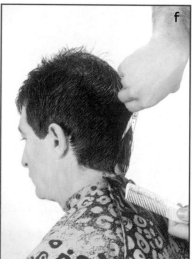

Como se puede observar en este detalle, la tijera se ubica apenas abierta sobre el cabello. De esta manera, cuando al deslizarla, el filo toca las diferentes mechas, éstas adquieren un efecto visual de contraste, en el que se observan pelitos más largos entremezclados con otros más cortos.

El filo de la tijera

Hay que tener en cuenta que esta tijera posee mucho filo (el llamado "filo de navaja"), por lo que el mínimo contacto con el cabello hará que éste se corte. Si deseamos cortar mayor cantidad de cabello será necesario que abramos más las hojas de la tijera. En cambio, si sólo queremos desmechar un poco, debemos cerrarlas lo más posible.

11

Una vez que terminamos de desmechar el cabello, vamos a utilizar la máquina para delinear el contorno de las patillas, de la oreja, de los laterales de la nuca y de la nuca baja.
Primero marcamos el largo de la patilla. Luego, contorneamos la oreja y cortamos con el filo de la máquina todos los pelitos que sobresalen. De esta manera,

evitamos que el pelo suba encima de la oreja.
Emprolijamos, después, el contorno de la nuca y quitamos, con el filo de la máquina, la pelusa de alrededor.
Terminamos marcando y sacando la pelusa de la nuca baja.

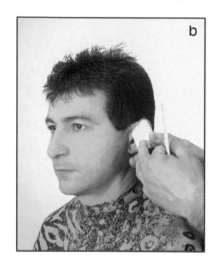

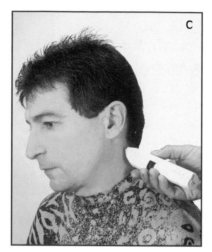

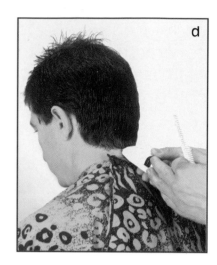

12

Vamos a utilizar el navajín para quitar toda la pelusa circundante. Afeitamos con el navajín las mismas zonas que despeluzamos con la máquina, es decir, patillas, contorno de nuca y nuca baja.

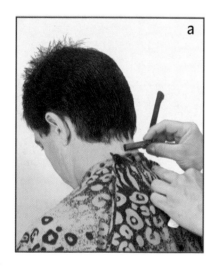

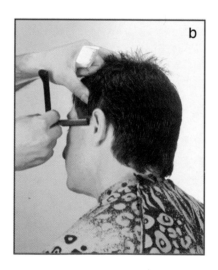

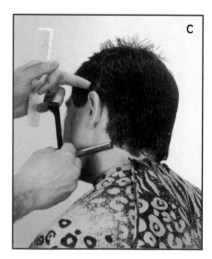

Si bien una de las funciones de la máquina, además de cortar, es sacar la pelusa, no lo realiza tan al ras como el navajín. Con este último, la pelusa se quita con profundidad.

13

Para terminar, modelamos un poquito el cabello con secador y cepillo araña, que es un cepillo especial para modelar. Luego, humedecemos apenas el cabello y aplicamos un toque de gel en las puntas.

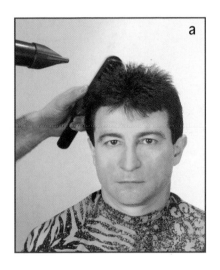

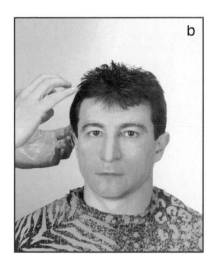

14

Observamos el corte terminado y modelado con cabello seco.

Modelo: Rubén

• Tipo de cabello: corto, lacio, fino, con remolinos.

• Tipo de corte: rebajado clásico.

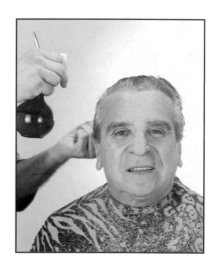

1

Humedecemos el cabello y peinamos hacia atrás para desenredarlo.

El cabello con remolinos

Antes de practicar el corte, debemos tener en cuenta las diferentes regiones en las que existen remolinos. Nunca conviene cortarlos mucho porque el cabello queda parado y resulta muy difícil de acomodar. Si bien el remolino parado puede achatarse con un poco de gel, si el cabello se encuentra muy corto igual tenderá a quedar parado. Por lo tanto, el consejo es cortar lo menos posible los remolinos.

2

Comenzamos dividiendo el cabello en porciones horizontales en la región de la nuca baja. Tomamos mechones verticales y cortamos desde arriba hacia abajo, con la tijera ubicada paralela a la nuca.

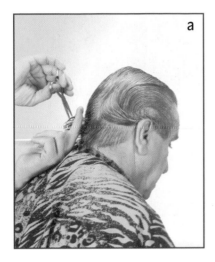

a

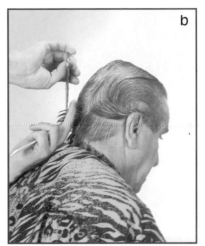

b

Este tipo de corte produce un efecto de rebajado, a diferencia del corte anterior con la tijera en punta, que produce un desmechado.

Podemos observar cómo los dedos sostienen el mechón de cabello en forma vertical.

De esta manera, la tijera entra recta desde la región superior, cortando hacia la inferior.

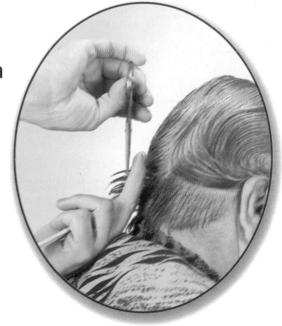

3

Continuamos practicando el mismo corte y vamos subiendo hacia la nuca alta. Para cada corte tomamos una mecha guía, es decir, una mecha ya cortada que nos indicará el largo que debemos cortar.

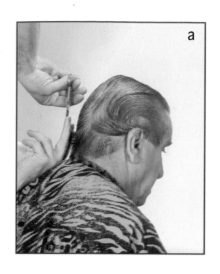

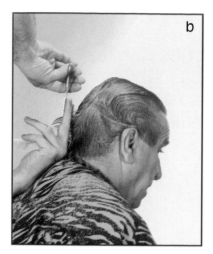

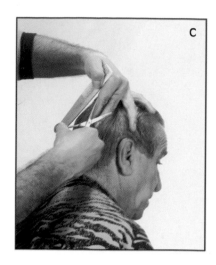

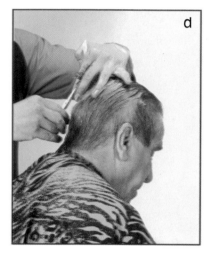

Para trabajar con comodidad

Podemos o no cambiar la posición de las manos para efectuar el corte cuando llegamos a la nuca alta o también para trabajar la cúspide. Este cambio no modifica el corte en sí, sino que está al servicio de una mayor comodidad en el trabajo del peluquero.

4 Cortamos el lateral derecho con la misma técnica, es decir, tomando secciones de cabello verticales, junto con una mecha guía, y cortando en forma recta.

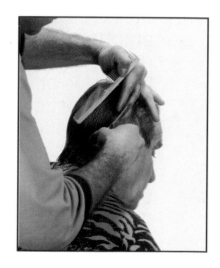

5 Subimos a la parte de la cúspide y seguimos cortando.

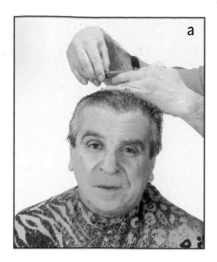

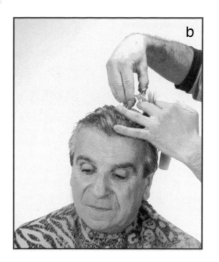

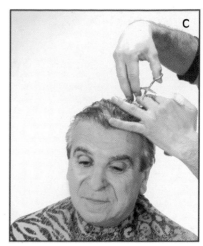

En esta fotografía podemos observar que aunque la posición de los dedos que sostienen el mechón ha variado, en comparación con el primer tramo del trabajo, el corte con la tijera sigue siendo el mismo.

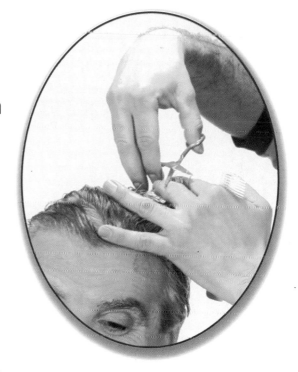

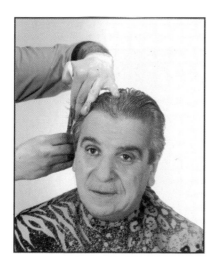

6

Volvemos al lateral derecho, tomando secciones de cabello verticales y trayendo mechas guías desde atrás para determinar el largo.

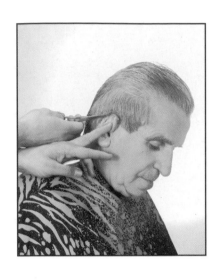

7 Definimos el contorno de cabello detrás de la oreja para evitar que los pelitos se suban a la misma. Luego, realizamos el mismo corte con la oreja opuesta.

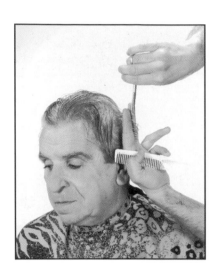

 **8** Cortamos, ahora, el lateral izquierdo tomando secciones verticales de cabello.

9 Controlamos las puntas de adelante, tomando secciones de cabello en forma horizontal.
El corte sigue siendo recto.
Luego controlamos las puntas que pudieran llegar a sobrar en la cúspide y las cortamos.

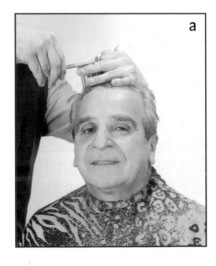

a

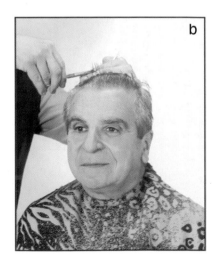

b

10

Retocamos el flequillo y lo desmechamos un poquito para que no quede tan rígido. Para ello, ubicamos la tijera en forma perpendicular a los dedos y trabajamos con la punta de la misma, dando picotazos.

Observamos en la fotografía la ubicación de la tijera y el corte, tipo "picotazo", sobre las puntas del flequillo.

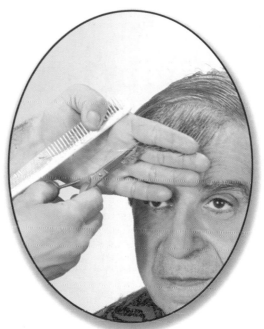

11

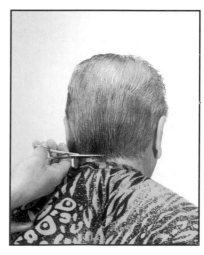

Cortamos el contorno de la nuca con tijera recta. Este corte sirve para emprolijar la nuca baja.

12

Utilizamos la máquina para definir y marcar las patillas. Con la misma máquina, retiramos la pelusa sobrante del contorno de la nuca y de los laterales.

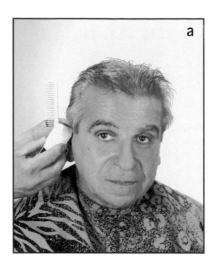
a

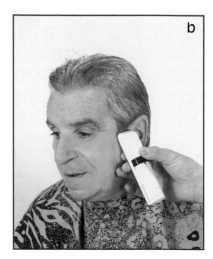
b

13

Observamos el corte terminado y modelado con cabello seco. Lo modelamos con secador y cepillo araña.

Las herramientas

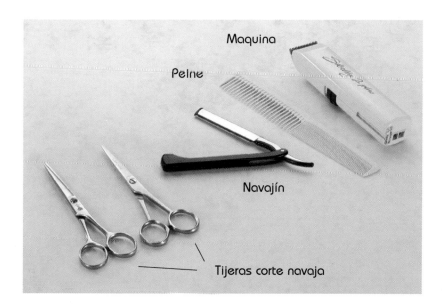

Maquina

Peine

Navajín

Tijeras corte navaja

Tijeras corte navaja

Se utilizan para rebajar, para desmechar y para lograr detalles de terminación, como por ejemplo, en patillas y nuca. Resulta fundamental que estén siempre bien afiladas para que no quiebren el cabello al efectuar el corte, o lo realicen en forma desprolija o desalineada.

Las tijeras deben ser de buena calidad y estar bien afiladas.

Navajín

Es una herramienta muy filosa, con filo descartable, que resulta ideal para quitar la pelusa sobrante en la nuca baja, en el contorno detrás de las orejas y en la región de las patillas.

Máquina

Se utiliza para emprolijar la nuca, las patillas y el contorno detrás de las orejas. Sirve también para eliminar pelusa, aunque no es tan eficaz en esta tarea como el navajín.

Peine

Cualquier peine es adecuado. Para cabellos abundantes, lo ideal es utilizar la sección de dientes abiertos; en cambio, para cabellos finos y ralos, bastará con la sección de dientes apretados. Debe evitarse la utilización de peines que posean dientes rotos, ya que podrían lastimar el cuero cabelludo.

Cepillo redondo

Existen diferentes tamaños que se adaptan a todo tipo de cabello y peinado. Sirve para modelar el cabello, dejándolo lacio. El cepillo redondo constituye la herramienta imprescindible para la realización del "brushing".

Cepillo araña

Se utiliza para modelar el cabello a medida que se aplica el secador.

Cepillo de peluquería y vaporizador

El cepillo de peluquería es un cepillo grueso y de abundantes cerdas suaves. Se lo utiliza para eliminar restos de cabello que quedan en cuello y laterales luego del corte.

El vaporizador es ideal para humedecer el cabello antes y durante el corte. Puede utilizarse cualquier vaporizador que arroje una lluvia fina de agua, la que debe estar limpia.

Al vaporizador puede agregársele una medida de crema enjuague en el caso de no existir la posibilidad de contar con una fuente de agua para mojar y desenredar el cabello con este producto.

Urquía, Ricardo.
    Sepa cómo cortar el cabello. - 1ª. ed. - Buenos
Aires: Grupo Imaginador de Ediciones, 2005.
    32 p.; 28x20 cm.

    ISBN 950-768-496-4

    1. Corte de cabello-Técnica. I. Título
    CDD 646.724

Fotografías: Alberto Cifarelli

Primera edición: enero de 2005
Última reimpresión: noviembre de 2005

I.S.B.N.: 950-768-496-4

Se ha hecho el depósito que establece la ley 11.723
© GIDESA, 2005
Bartolomé Mitre 3749 - Ciudad Autónoma de Buenos Aires
República Argentina
Impreso en Argentina - Printed in Argentina

Se terminó de imprimir en LEOGRAF Y COMPAÑÍA S.R.L., Armenia 253, Valentín Alsina,
en noviembre de 2005 con una tirada de 4.000 ejemplares.